André-Philippe Côté

De tous les... CÔTÉ 2011

LES ÉDITIONS
LA PRESSE

Catalogage avant publication de Bibliothèque
et Archives nationales du Québec et Bibliothèque
et Archives Canada

Côté, André-Philippe
De tous les... Côté
ISSN 1495-9828
ISBN 978-2-923681-83-2
1. Caricatures et dessins humoristiques - Canada.
2. Canada - Politique et gouvernement - 2006 -
 - Caricatures et dessins humoristiques.
3. Québec (Province) - Politique et gouvernement -
2003- - Caricatures et dessins humoristiques.
4. Humour par l'image canadien. I. Titre.

NC1449.C77A4   971.07'30207   C00-301920-9

Caricatures
André-Philippe Côté

Directrice de l'édition
Martine Pelletier

Conception graphique
Yanick Nolet

© Les Éditions La Presse
TOUS DROITS RÉSERVÉS
Dépôt légal – 4ᵉ trimestre 2010
ISBN 978-2-923681-83-2

Imprimé et relié au Canada

LES ÉDITIONS
LA PRESSE

Présidente
Caroline Jamet
Les Éditions La Presse
7, rue Saint-Jacques
Montréal (Québec)
H2Y 1K9

L'éditeur remercie le gouvernement du Québec
pour l'aide financière accordée à l'édition de
cet ouvrage, par l'entremise du Programme
de crédit d'impôt pour l'édition de livres,
administré par la SODEC.

L'éditeur bénéficie du soutien de la Société
de développement des entreprises culturelles
(SODEC) pour son programme d'édition
et pour ses activités de promotion.

L'éditeur reconnaît l'aide financière du
gouvernement du Canada, par l'entremise
du Programme d'aide au développement
de l'industrie de l'édition (PADIÉ), pour ses
activités d'édition.

Note: les caricatures des pages 20, 23, 25-B, 34,
46-B, 50-C, 103, 105-B, 115-B, 126, 128, 129-B,
130, 130-B, 131, 131-B sont tirées du magazine
l'*Actualité*.

Du même auteur

AUX ÉDITIONS FALARDEAU

Baptiste le clochard

Baptise et Bali

Le monde de Baptiste

Allô Baptiste

Castello

La voyante
  Scénario : André-Philippe Côté
  Illustrations : Jean-François Bergeron

CHEZ SOULIÈRES, ÉDITEUR

Sacré Baptiste

Bon voyage, Baptiste

AUX ÉDITIONS LA PRESSE
En collaboration avec Le Soleil

De tous les... Côté 1998
De tous les... Côté 1999
De tous les... Côté 2000
De tous les... Côté 2001
De tous les... Côté 2002
De tous les... Côté 2003
De tous les... Côté 2004
De tous les... Côté 2005
De tous les... Côté 2006
De tous les... Côté 2007
Madame la mairesse
De tous les... Côté 2008
De tous les... Côté 2009
De tous les... Côté 2010
Le petit Labeaume illustré

AUX ÉDITIONS DU SEPTENTRION

Les années Bouchard
  Caricatures : André-Philippe Côté
  Texte : Michel David

Nouvelle-France, La Grande Aventure
  Texte : Louis-Guy Lemieux
  Ilustrations : André-Philippe Côté

AUX ÉDITIONS TROIS-PISTOLES

Victor et Rivière

Écrire de la caricature et de la bande dessinée
Entretiens de Gilles Perron avec André-Philippe Côté

CHEZ CASTERMAN/JUNGLE

Psychose et cie, le docteur Smog à votre écoute
Tous fous, le docteur Smog craque

LES ÉDITIONS L'INSTANT MÊME

L'oreille coupée et autres scénarios
avec Mira Falardeau

Ailleurs dans le monde

OBAMA TENTE DE MINIMISER
LA VICTOIRE DU TEA PARTY...

Ben Laden
1957-2011

Tension extrême en Côte D'Ivoire

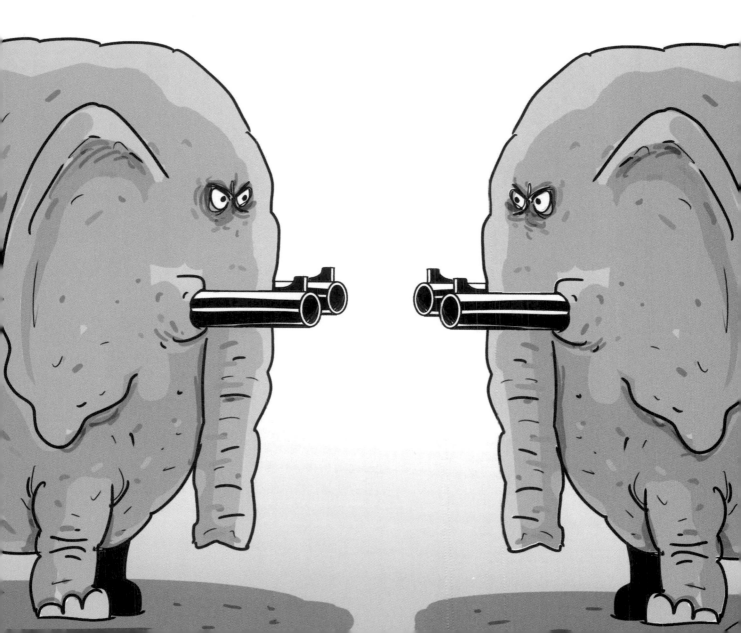

Parue dans
le magazine
l'*Actualité*.

SARKOZY LANCE UN APPEL AU CALME...

ASSAD ISOLÉ

Je me souviens

Parue dans le magazine l'*Actualité*.

UN NOUVEAU DÉPART POUR CHAREST...

SELON LA SAAQ :
<< 20 % DES CONDUCTEURS ADMETTENT
AVOIR SOMNOLÉ AU VOLANT. >>

Amir Khadir réagit au budget...

Parue dans le magazine l'*Actualité*.

LE COMMISSAIRE À L'ÉTHIQUE
ENTRE EN FONCTION

MÂLE ALPHA — MARC BELLEMARE

MÂLE BETA — JEAN CHAREST

MÂLE FEMINA — PAULINE MAROIS

MÂLE OMEGA 3 — AMIR KHADIR

PARTI LIBÉRAL

VROUM
VROUM...

PQ

Parue dans le magazine l'*Actualité*.

AVEC LE VIEILLISSEMENT DE LA POPULATION
LES DÉMOGRAPHES PRÉVOIENT UNE FORTE
AUGMENTATION DU NOMBRE DE BELLES-MÈRES

Côté
29-10-10

Loisir péquiste

DES NOUVELLES DE LA DROITE

LEGAULT SONGE ENCORE À UNE ALLIANCE...

DELTELL AUSSI

LES DÉPUTÉS SERRENT LES RANGS
AUTOUR DE PAULINE...

Ô Canada

HARPER MAINTIENT LE CAP...

LE BLOC FRAGILISÉ...

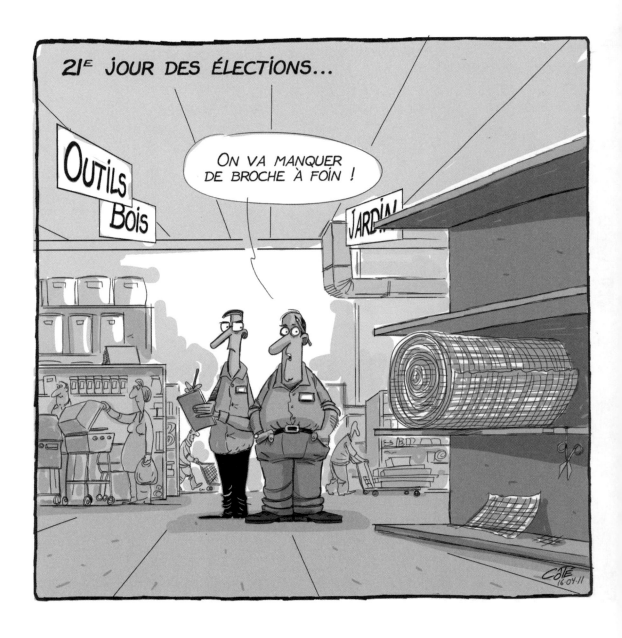

PLATEFORME LIBÉRALE

PLATEFORME CONSERVATRICE

BILAN DE CAMPAGNE

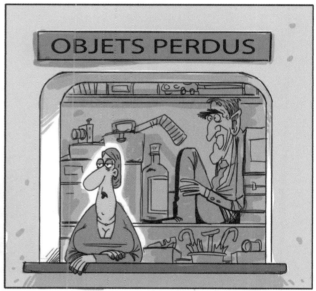

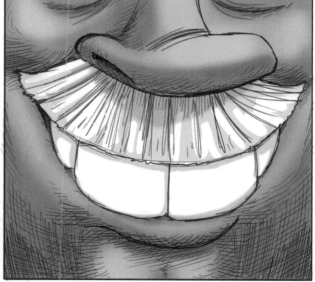

LE QUÉBEC RESTE DANS L'OPPOSITION
MAIS CHANGE DE COULEUR

PIERRE PAQUETTE CANDIDAT AU LEADERSHIP DU BLOC ?

UN SÉNAT ÉLU ... ?

SUR LES TRACES DE LAYTON...

Ce qui se passe chez nous

Percée timide du Bixi à Québec...

Parue dans le magazine l'*Actualité*.

Parue dans le magazine l'*Actualité*.

FESTIVAL DES VINS DE BORDEAUX À QUÉBEC...

ENSUITE NOUS AURONS LE FESTIVAL DES FROMAGES QUI NE GOÛTENT PAS CE QU'ILS SENTENT... PUIS LE FESTIVAL DES PETITES BISCOTTES QUI SONT TOUJOURS CASSÉES DANS LA BOÎTE...

CANTAT, NOIR DESTIN...

LES CANADIENS DOIVENT FAIRE PLUS D'EXERCICE...

Parue dans le magazine l'*Actualité*.

FESTIBIÈRE

1975

1990

2000

2011

LE RETOUR DES COURS D'HISTOIRE AU CEGEP ?

Parue dans le magazine l'*Actualité*.

Parue dans le magazine l'*Actualité*.

Parue dans le magazine l'*Actualité*.

Parue dans le magazine l'*Actualité.*

Parue dans le magazine l'*Actualité.*

Parue dans le magazine l'*Actualité*.

Parue dans le magazine l'*Actualité*.

CLAUDE LÉVEILLÉE 1932-2011

CÔTÉ